ENCUENTRO

Un perfecto caballero para dragones

por
Jolly Roger Bradfield

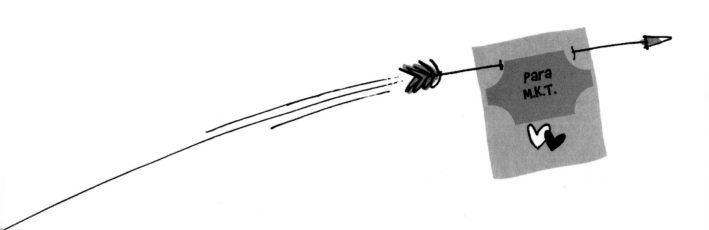

¡BIENVENIDOS!

s voy a contar la historia de Cedric, un amable y apacible muchacho.

Cedric vivía en un enorme castillo. ¿Y por qué vivía en un castillo en vez de vivir en una casa corriente y moliente? Porque era un príncipe.

Y ¿por qué era un príncipe? Pues porque su madre era la Reina y su padre era el Rey.

El Rey tenía un diminuto reino cuyo nombre era Haslemere. Estaba dentro de un enorme bosque. Hace muchos, muchos años, el bosque estaba lleno de feroces dragones...

Unos gordinflones...

Otros cortitos...

Otros que ponían los pelos de punta...

Y otros peludos.

Pero todos arrojaban fuego por su boca.
Cuando el Rey era joven, cazaba dragones casi todos los días. Con la ayuda de su valiente caballo, Florencio, consiguió deshacerse de todos ellos.

El príncipe Cedric, sin embargo, nunca había visto un dragón y no tenía ningún interés en luchar.

Lo que más le gustaba a Cedric era pasear con su caballo Florencio por el reino haciendo buenas acciones.

Sí, Florencio era el mismísimo caballo que había ayudado al Rey en todas aquellas batallas contra los dragones.

Pero ahora estaba muy viejo.

Y también gordo.

No oía bien ni tampoco podía ver muy lejos. Pero todavía era un buen caballo para Cedric. Casi todos los días daban un tranquilo paseo por el reino y se paraban cuando se presentaba la oportunidad de hacer una buena acción.

Un día un mensajero llegó al castillo con noticias nefastas: un terrible dragón había entrado en el reino atemorizando a todos los que vivían en el bosque.

Era enorrrrrrrme.

Rugía como un tren de mercancías.

Y tenía muy malas pulgas.

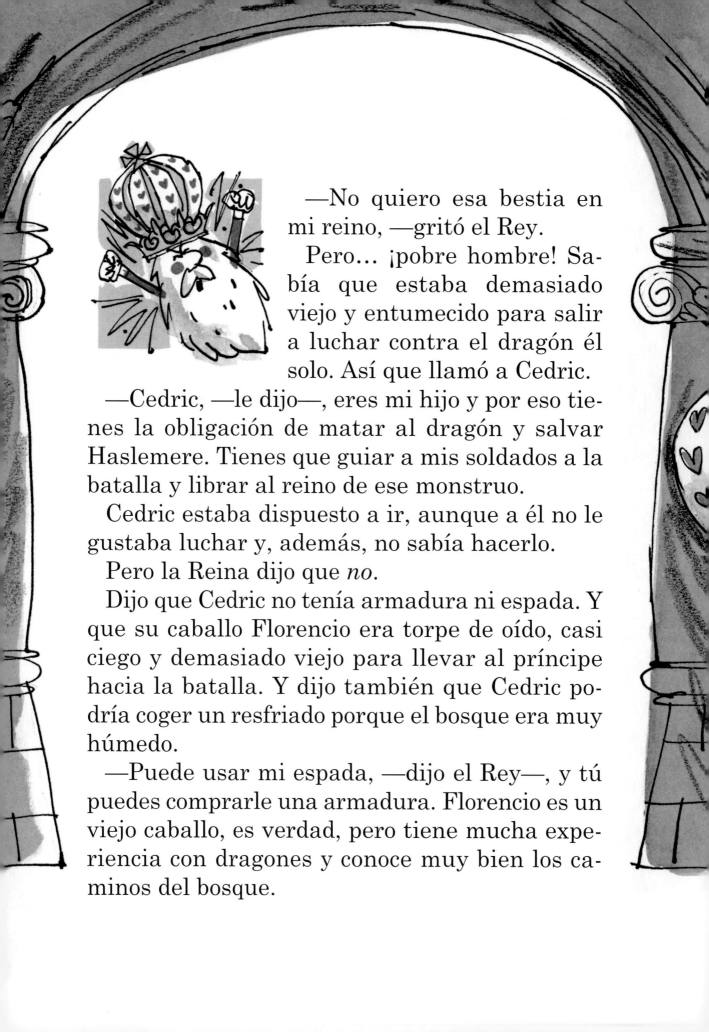

—No quiero esa bestia en mi reino, —gritó el Rey.

Pero... ¡pobre hombre! Sabía que estaba demasiado viejo y entumecido para salir a luchar contra el dragón él solo. Así que llamó a Cedric.

—Cedric, —le dijo—, eres mi hijo y por eso tienes la obligación de matar al dragón y salvar Haslemere. Tienes que guiar a mis soldados a la batalla y librar al reino de ese monstruo.

Cedric estaba dispuesto a ir, aunque a él no le gustaba luchar y, además, no sabía hacerlo.

Pero la Reina dijo que *no*.

Dijo que Cedric no tenía armadura ni espada. Y que su caballo Florencio era torpe de oído, casi ciego y demasiado viejo para llevar al príncipe hacia la batalla. Y dijo también que Cedric podría coger un resfriado porque el bosque era muy húmedo.

—Puede usar mi espada, —dijo el Rey—, y tú puedes comprarle una armadura. Florencio es un viejo caballo, es verdad, pero tiene mucha experiencia con dragones y conoce muy bien los caminos del bosque.

Al final, la Reina accedió. Salió de compras con Cedric y encontró una fuerte y reluciente armadura. Era demasiado grande para Cedric, pero la Reina pensó que era una buena idea comprar un traje crecedero.

—Y, además, —dijo—, tiene unos bonitos lunares rosas.

Pero era *tan* grande y *tan* pesada que Cedric casi no podía levantarla del suelo.

El Rey cogió su espada del trastero.

—Esta espada es la que he llevado muchas veces en las batallas, —dijo—. Mientras la lleves contigo, no tienes nada que temer.

—No tengo miedo, padre, —dijo Cedric—, aunque hay muchas cosas que me gustaría hacer en vez de cazar dragones. Florencio y yo dormiremos hoy plácidamente y saldremos por la mañana temprano.

Al día siguiente Cedric estaba preparado muy de mañana, pero la Reina ordenó que le hiciesen volver al castillo: primero tenía que terminar su desayuno, después
peinarse y, por último, lavarse las manos.

—No quiero que un niño vaya a cazar dragones con
las manos sucias, —dijo—.

Cedric ya no era un niño, pero no dijo nada.

Luego, la Reina insistió en prepararle el almuerzo, y buscó para Florencio una pluma para ponérsela en la cabeza y eso retrasó todavía más la salida.

Después de varios intentos, Cedric se dio cuenta de que no podía subir a su caballo: su armadura era demasiado pesada. Por fin, después de varios intentos, colocaron una grúa y le izaron con la ayuda de una cuerda resistente.

—Deja todo en manos de Florencio, —dijo el Rey—. Y le dio un empujón para que empezase la marcha.

—Sabe muy bien qué tiene que hacer y a dónde ir.

Después de mediodía, Florencio, que no podía con tan pesada armadura, salió tambaleándose por la puerta del castillo.

La multitud les saludaba y aplaudía. Florencio, con su bonita pluma y la armadura de lunares sobre su lomo, era algo digno de verse.

Tenía un plan: avanzar a lo largo de un camino secreto a través del bosque hasta llegar a un claro. Allí se encontraría con los soldados del Rey y los guiaría a la batalla.

El problema fue que, como habían retrasado su salida del castillo, el sol empezó a caer antes de que llegasen siquiera a la mitad del camino.

Como oscurecía, Cedric decidió parar y pasar la noche antes de perder el camino. Cuando empezaba a bajar de Florencio, recordó todos los problemas que había tenido por la mañana.

—Será mejor que deje mi armadura en la silla de montar, —dijo para sí— o mañana no podré volver a subir.

Salió con dificultad del pesado traje y se dejó caer sobre la hierba. Cogió el almuerzo que su madre había preparado para él y se encontró con un bocadillo de mermelada, sardinas en escabeche y nubes de caramelo. Después de cenar y viendo que Florencio estaba feliz comiendo hierba fresca, se acurrucó junto a sus patas y se dispuso a dormir.

ientras tanto, en el claro, los soldados del Rey esperaron durante toda la noche. Las llamaradas del dragón iluminaban el cielo y sus rugidos hacían imposible pegar ojo. Incluso los soldados más valientes empezaban a sentir miedo.

No es de extrañar que a la mañana siguiente empezaran a gritar cuando vieron aparecer al viejo Florencio en el borde del claro, ¡con su pluma que se agitaba alegremente, y la armadura de lunares tan alta y erguida sobre su lomo!

—¡Viva el príncipe Cedric!, —gritaron—. ¡Viva Florencio!

El viejo caballo, sin ver ni oír a los soldados, atravesó despacio el claro del bosque y continuó por su camino.

Los soldados fueron detrás de él mientras seguían dando vítores.

A medida que avanzaban valientemente hacia el dragón, los rugidos empezaron a ser más estridentes y más
aterradores.

Pero ellos seguían adelante.

Cuando alcanzaron la cima de la colina, vieron por primera vez al horrible dragón.

Era mucho más grande de lo que ellos habían imaginado.

Un horrible humo negro salía de sus fosas nasales.

Y sus ojos lanzaban una penetrante mirada.

Los soldados se preguntaban si Cedric estaría temblando tanto como ellos.

Pero el viejo Florencio con sus débiles ojos no se detuvo ni siquiera un poquito y ellos avanzaron detrás de él.

El dragón miró sorprendido al pequeño ejército... normalmente la gente solía huir a toda prisa a una sola mirada suya.

—Asustaré hasta a las herraduras de ese caballo, —pensó enfadado—. Tomó aire y soltó un treeeeeemendo rugido (tan fuerte que le dio un poco de dolor de cabeza).

Los oídos del viejo Florencio no pudieron oír el rugido y siguió caminando todo derecho, con su pluma que se agitaba con la brisa y la armadura de lunares sobre su lomo. Pareció que no tenía ningún miedo, y eso trasmitió valor a los soldados.

Acercándose cada vez más, llegó hasta el dragón. Cien pasos... cincuenta pasos... veinticinco.

El dragón, totalmente desconcertado (y más rabioso que nunca) volvió a tomar aire profundamente.

—Voy a dejar frito al tipo que está dentro de esa ridícula armadura de lunares, —pensó—. ¡Lo tostaré como a una nube de caramelo! ¡Lo abrasaré hasta que se achicharre! Abrió sus enormes mandíbulas y exhaló una llamarada (tan ardiente que se tostó un poco la punta de la nariz).

Para su asombro, no sucedió nada. La armadura, ennegrecida por la llamarada permanecía sentada absolutamente inmóvil sobre la silla de montar.

Los viejos ojos de Florencio no podían ver al dragón y, con toda tranquilidad, masticaba la hierba que había a sus pies.

Esto fue DEMASIADO para el dragón.

—¿Por qué nadie echa a correr cuando doy un rugido? —se preguntaba—.

—¿Cómo puede este tonto seguir ahí tan tranquilo cuando lanzo mis llamas contra su armadura?

Ahora le tocaba al dragón echarse a temblar. Vio la enorme espada que el Rey había dado a Cedric y empezó a retroceder: primero una pata y luego la otra.

Cuando los soldados vieron esto empezaron a acercarse. Lanzaron sus lanzas y dispararon sus arcos.

El asustado dragón se dio la vuelta y empezó a correr —al principio despacio, pero después cada vez más y más deprisa— con los soldados gritando pisándole los talones.

En un momento, todos desaparecieron tras la cima de la colina.

A excepción de Florencio. Estaba cansado porque había sido una larga jornada. Tenía calor por la llamarada que el dragón había lanzado tan cerca de él.

Pensó que ya había ido bastante lejos, y tal vez recordando la hierba fresca que había cenado la noche anterior, el viejo caballo dio media vuelta y desanduvo el camino por el que había venido.

Se internó de nuevo en el bosque. Si su vista y su oído hubieran sido mejores, se habría enterado de que alguien corría acaloradamente por el camino hacia él y le llamaba por su nombre una y otra vez.

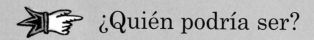 ¿Quién podría ser?

¡... ERA CEDRIC!

—Oh, Florencio, —gritó—. ¡Te he buscado por todas partes! Cuando esta mañana me desperté no pude encontrarte. ¿Dónde has estado?

Tropezando y sin aliento, el joven Príncipe rodeó con sus brazos el cuello del viejo caballo y descansó.

—*Nunca* vuelvas a escaparte porque... ¿qué pasaría si te encontrases con el dragón?

Con cuidado, el Príncipe Cedric saltó sobre Florencio y se introdujo en la armadura con lunares rosas. Se preguntaba por qué estaba tiznada y olía a humo.

El sonido de unos hombres cantando y gritando interrumpió sus pensamientos.

Los valientes soldados del Rey marchaban hacia él por el camino, entonando un canto de victoria mientras se acercaban.

Cuando vieron a Cedric, le aclamaron: —¡Larga vida al Valiente Príncipe!

Todos alrededor de Florencio, relataron con orgullo que habían echado al dragón muy lejos del reino, y que la última vez que le vieron todavía seguía corriendo.

Cedric trató de explicarles que él se había bajado de Florencio y se había quedado atrás, pero los soldados gritaban contentos y se dirigían al castillo cantando más fuerte que nunca.

Cuando todos regresaron a casa, hubo una gran fiesta.

Nadie se creyó la historia de que Cedric se había perdido la batalla, y mucho menos la Reina. Pensaba que era muy modesto.

El Rey recompensó con premios a todos los soldados y regaló a Florencio un campo de hierba fresca para él solo.

¡Y decidió que el Príncipe Cedric era suficientemente mayor para gobernar el reino!

Cedric gobernó Haslemere sabiamente durante muchos años.

Guardó la espada de su padre en el trastero porque el dragón nunca más volvió.

Plantó geranios en la armadura para decorar la entrada del castillo.

E incluso ahora, cuando los visitantes ven la armadura de lunares, recuerdan al Valiente Príncipe Cedric y su Gran Aventura.

	DATE DUE		